D1220926

Eine Idee von 

Leo Lausemaus® ist ein eingetragenes Warenzeichen und erscheint im
Lingen Verlag, Brügelmannstraße 3, 50679 Köln

Dami International, a brand of Giunti Publishing Group
www.giunti.it
Illustrationen: Marco Campanella
Text: Anna Casalis
Text für die deutsche Ausgabe: Frieda Böhm

49505/2

www.lingenkids.de

Printed in EU

Leo Lausemaus

will nicht schlafen

■ LINGEN

Hmmm!

Heute hat der kleine Leo Lausemaus wieder viel erlebt und das macht ganz schön hungrig. Es ist bereits Abend und zum Glück gibt es etwas Leckeres zu essen. „Oh, ich liebe Käsesuppe! Schade, dass sie schon alle ist!“, seufzt er und leckt noch den letzten Rest vom Löffel. Sein allerliebster Spielkamerad, der kleine Bär Teddy, wartet schon auf ihn, damit sie zusammen ins Bettchen gehen können.

Im Zimmer von Leo Lausemaus sieht es immer etwas unordentlich aus, aber ihm gefällt das so. Die Kerze brennt schon – Zeit für Leo, sich aufs Schlafengehen vorzubereiten. Er zieht sich sein weiches, frisch duftendes Nachthemdchen über den Kopf. Seine Mama hat ihm darauf einen lachenden Mond gestickt.

Ach, ist das kuschelig!

Brrrrr

Plitsch

Nun noch schnell die Zähne putzen. Auch für eine Maus ist es wichtig, saubere Zähne zu haben. „Wie lecker diese Zahnpasta doch schmeckt!“, denkt Leo und bürstet gleich noch den ganzen Mund ab. So verschwindet auch der letzte Rest der geliebten Käsesuppe. „Mach die Zahnpastatube wieder zu!“, erinnert ihn seine Mama.

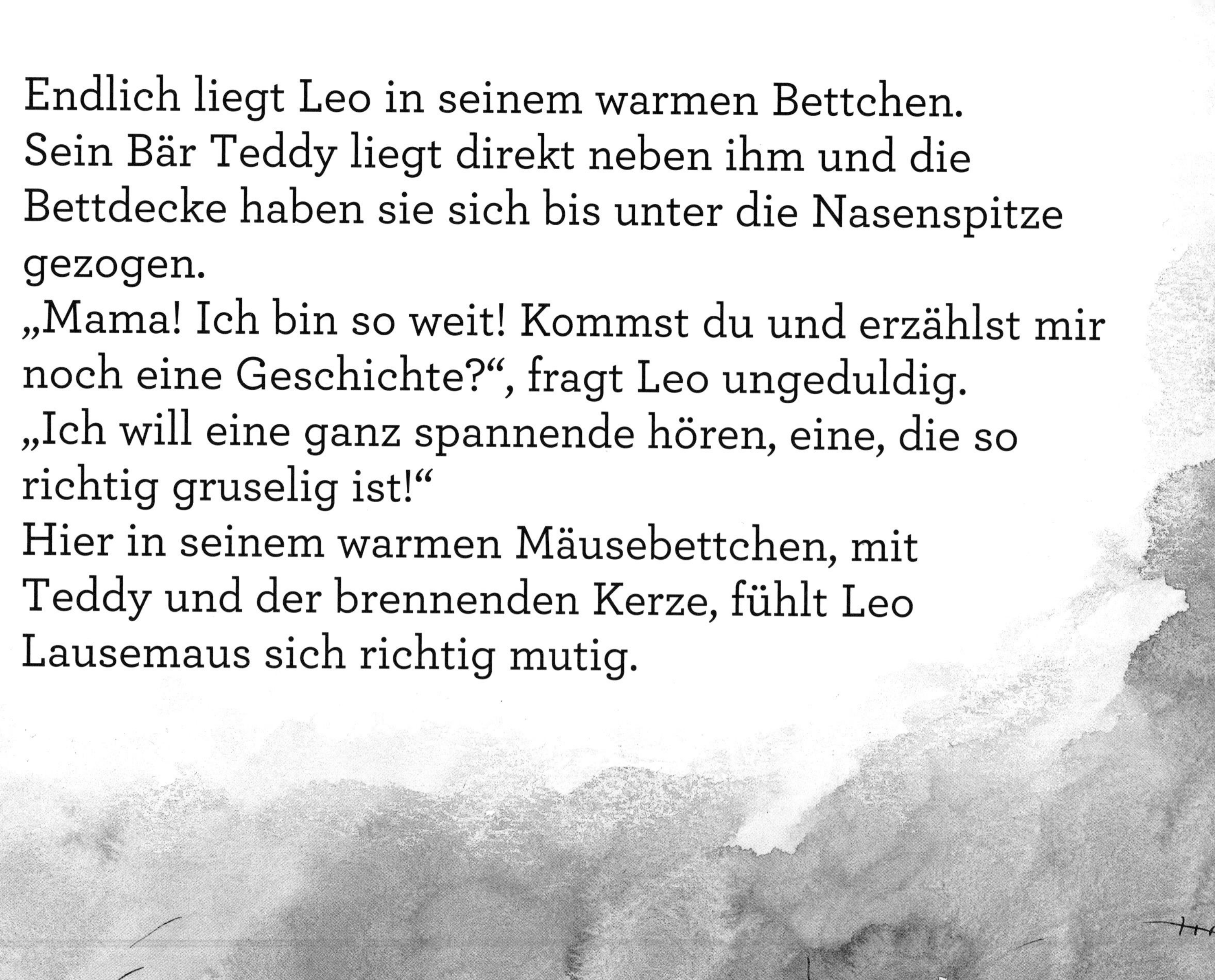

Endlich liegt Leo in seinem warmen Bettchen.
Sein Bär Teddy liegt direkt neben ihm und die Bettdecke haben sie sich bis unter die Nasenspitze gezogen.
„Mama! Ich bin so weit! Kommst du und erzählst mir noch eine Geschichte?“, fragt Leo ungeduldig.
„Ich will eine ganz spannende hören, eine, die so richtig gruselig ist!“
Hier in seinem warmen Mäusebettchen, mit Teddy und der brennenden Kerze, fühlt Leo Lausemaus sich richtig mutig.

Es war einmal ...

Seine Mama liest ihm ein langes Märchen vor und hofft, dass ihr kleiner Leo bald müde wird und einschläft ... Als das Märchen zu Ende ist, gähnt zwar seine Mama, aber Leo Lausemaus ist hellwach und fragt ganz aufgeregt: „Und dann, was ist dann passiert? Und wie ist es der bösen Katze ergangen?“ „Jetzt ist es Zeit zum Schlafen, Leo, es ist schon sehr spät“, sagt seine Mama.

Schmatz

Die Mama gibt ihm noch einen Gutenachtkuss und verlässt dann sein Zimmer. Aber Leo Lausemaus kann nicht einschlafen. Nach kurzer Zeit steht er auf und nimmt seinen Bären: „Komm, Teddy, wir suchen die Mama.“

Mama!

Leos Eltern liegen in ihrem großen Bett. Papa schläft schon, weil er am nächsten Morgen früh aufstehen muss. Doch Mama liest noch etwas in ihrem spannenden Buch. „Mama, ich habe Durst! Gibst du mir was zu trinken? Auch Teddy hat Durst!“ …
„Ach Leo, du kleine Lausemaus!“, sagt die Mama lächelnd.

Gluck, gluck

Leo trinkt tatsächlich ein ganzes Fläschchen mit warmer Milch auf einmal aus. Danach geht er mit Teddy wieder ins Bett. „Uff! Ist mir langweilig! Hier passiert aber auch gar nichts Interessantes!“, murmelt Leo und starrt an die Zimmerdecke.

Aber es geht einfach nicht – Leo kann nicht einschlafen! Er steht also wieder auf und schleicht sich zu seiner Mama. „Mama … ich kann nicht einschlafen! Erzählst du mir noch eine Geschichte?“ „Psst! Sei leise Leo, wir wollen doch den Papa nicht wecken!“, sagt Mama. Aber Papa schnarcht leise vor sich hin und währenddessen heben und senken sich seine langen Schnauzhaare. „Mama, ich will nicht wieder ins Bett! Warum muss ich überhaupt schlafen?“ Seine Mama gähnt und steigt mühsam aus ihrem Bett. Sie nimmt den kleinen Leo auf den Arm und geht mit ihm zum Fenster …

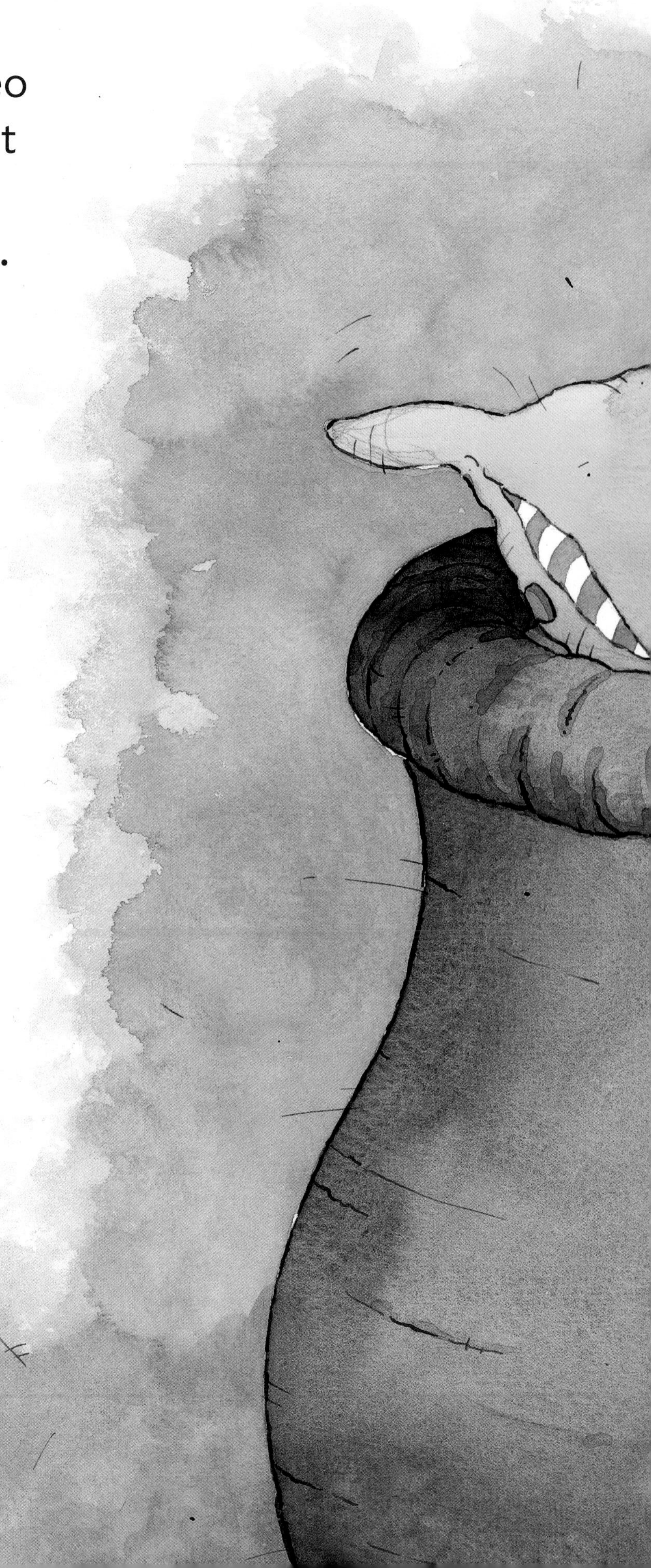

Mammmaa...

„Sieh mal,
Leo, es ist
Nacht. Da draußen
ist es dunkel und alle
schlafen: auch die
Sonne, die Blumen
und alle Tiere
im Wald.“

„Die Nacht ist dazu da, sich auszuruhen, um am nächsten Morgen wieder fit und munter zu sein. Nur die Sternlein leuchten am Himmel und wünschen uns schöne Träume.“ Langsam geht Leo wieder zu seinem Bettchen. Er kuschelt sich zu seinem Teddy unter die Bettdecke, schläft ein und ... träumt.

Er träumt davon, wie er mit seinem Teddy auf riesigen Käsestücken tanzt. Um ihn herum liegen viele tolle Spielsachen und Leckerbissen. Es ist ein wunderbarer Traum, der bis zum frühen Morgen andauert.

Hurra!

Die ersten Sonnenstrahlen fallen bereits durchs Fenster direkt auf Leos Bettchen. Leo ist bester Laune. Er hat ja so gut geschlafen. „So langweilig ist es im Bett gar nicht, wenn man schläft und träumt“, denkt Leo bei sich. „Komm schnell, Teddy, aufstehen, es ist Zeit!
Und heute Abend schlafe ich viel früher ein.
Vielleicht träume ich dann wieder etwas so Schönes!“

Entdecke die Welt von Leo Lausemaus

will nicht schlafen
ISBN 978-3-937490-20-5

hat schlechte Laune
ISBN 978-3-937490-21-2

will nicht essen
ISBN 978-3-937490-22-9

will nicht in den Kindergarten
ISBN 978-3-937490-24-3

sagt nicht die Wahrheit
ISBN 978-3-937490-25-0

allein bei den Großeltern
ISBN 978-3-937490-26-7

Mama geht zur Arbeit
ISBN 978-3-937490-27-4

wünscht sich ein Geschwisterchen
ISBN 978-3-937490-28-1

will sich nicht die Zähne putzen
ISBN 978-3-938323-18-2

hat Geburtstag
ISBN 978-3-938323-89-2

Lili geht aufs Töpfchen
ISBN 978-3-941118-30-0

trödelt mal wieder
ISBN 978-3-938323-94-6

will nicht teilen
ISBN 978-3-941118-59-1

lernt schwimmen
ISBN 978-3-941118-75-1

will nicht verreisen
ISBN 978-3-942453-97-4

kann nicht verlieren
ISBN 978-3-942453-21-9

will nicht baden
ISBN 978-3-942453-53-0

will nicht aufräumen
ISBN 978-3-942453-98-1

will alles alleine machen
ISBN 978-3-943390-83-4

... überall im Handel und unter www.lingenkids.de